PHARMAKOLOGIE FÜR NOTFALLSANITÄTER

Medikamente aus dem Pyramidenprozess

erweiterte Auflage

Prof. Dr. H. Hohage

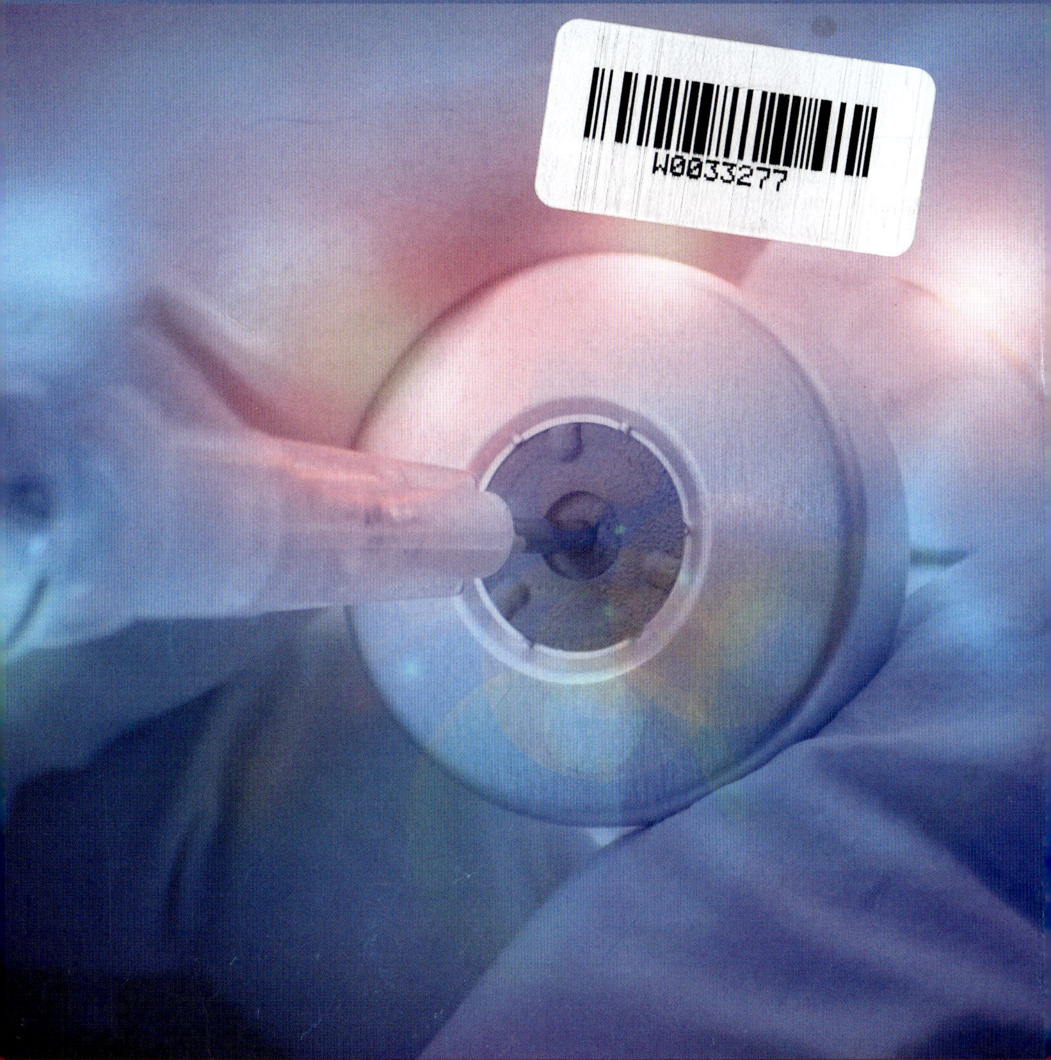

LUHRI

agsgesellschaft bR

www.luhri.de

Leitsymptom Schock

Prof. Dr. H. Hohage

Leitsymptom Schock –
Infusionslösungen

1.1 Einleitung

Der Schock ist ein medizinischer Notfall, der durch eine unzureichende Durchblutung lebensnotwendiger Organe charakterisiert und üblicherweise durch einen niedrigen Blutdruck verursacht ist (siehe Abb. 1). Die Folge ist ein anaerober Metabolismus und eine gesteigerte Laktatproduktion. Die Mortalität ist selbst bei einer optimalen Therapie sehr hoch. Die Ursachen für einen Schock sind mannigfaltig: Blutungen, Allergien, Verbrennungen, Infektionen, Herzinfarkt oder Lungenembolie. Gemeinsam ist all diesen Ursachen das reduzierte effektive zirkulierende Blutvolumen, das entweder direkt durch einen Blutverlust, indirekt durch Verschiebungen von Flüssigkeit in den GI-Trakt oder extrazelluläre Räume, aber auch durch ein herabgesetztes Herzzeitvolumen (Herzinfarkt, Lungenembolie) entstehen kann. Die Antwort auf diese Prozesse ist komplex; die Vasodilatation in lebenswichtigen Organen (wie Gehirn, Herz und Nieren) begünstigt zwar die Durchblutung dieser Organe, hat aber andererseits ein weiteres Absinken des systemischen Blutdrucks zur Folge, was die Durchblutung anderer Organe weiter reduziert. Komplizierend kommt hinzu, dass durch die Gewebehypoxie zusätzliche Prozesse initiiert werden, die den pathophysiologischen Teufelskreislauf weiter beschleunigen. Die Rede ist hier von der Freisetzung von Mediatoren (Histamin, Serotonin, Prostaglandin, Interleukin, Stickstoffmonoxid), die über unterschiedliche Mechanismen (u.a. erhöhte Kapillardurchlässigkeit) das zirkulierende effektive Blutvolumen weiter senken und die Hypotonie damit verschlimmern. Ein weiterer Mechanismus scheint ein relativer Mangel an antidiuretischen Hormon (ADH) zu sein.

Patienten, die unter einem Schock leiden, sind keine homogene Population. Die vielen unterschiedlichen Ursachen, die nicht immer gleiche Abfolge der Aktivierung möglicher pathophysiologischer Faktoren machen deshalb nicht nur die Therapie sehr schwierig, sondern erschweren auch die Durchführung von Studien. Hilfreich ist aber oft die Frage nach dem ursprünglichen Ereignis, erleichtert dies doch die Auswahl des therapeutischen Regimes. So bietet sich eine Volumentherapie bei einer Hypovolämie an. Adrenalin ist bei einer Anaphylaxie lebensrettend und kann, ebenso wie Dobutamin, das Herzzeitvolumen verbessern. Lässt sich auch mit Adrenalin kein Blutdruckanstieg erreichen, kann ein Versuch mit Vasopressin unternommen werden. Glukokortikoide unterdrücken zwar die Bildung von Stickstoffmonoxid und Prostaglandinen, im Vollbild eines Schocks ist dieser Effekt möglicherweise aber nicht mehr von Nutzen. Aus pathophysiologischen Erwägungen heraus würde es durchaus Sinn machen, eine Azidose durch Pufferung zu beseitigen, spielt doch das azidosebedingte verminderte Ansprechen auf Katecholamine eine Rolle in diesem „Teufelskreislauf". Mit Ausnahme eines pH-Wertes $< 7,1$ scheint eine Pufferung bei einem Schock jedoch keine Vorteile zu bringen. Abbildung 2 fasst mögliche Angriffsorte von Pharmaka bei einem Schock zusammen. Die Flüssigkeitsgabe steht, eine entsprechende Ursache vorausgesetzt, an prominenter Stelle in der Therapie des Schocks. In diesem Beitrag wollen wir uns eingehender mit kristalloiden und kolloidalen Volumenersatzmitteln beschäftigen. Sie sind die zentrale therapeutische Maßnahme bei Blut- oder Plasmaverlusten. Das rechtzeitige Auffüllen des Gefäßsystems kann die Ausbildung eines Schocks verhindern.

1.2 Schockindex

Wie kann man einen Schock überhaupt erkennen? Wichtiges Hilfsmittel ist hier der Schockindex, der Quotient aus Puls und systolischem Blutdruck. Normalerweise ist dieser Index < 1. Ein Wert von 1 deutet einen beginnenden Schock an, bei Werten > 1 liegt ein Schock vor.

MERKE:

$$\frac{\text{Herzfrequenz}}{\text{RR}^{\text{syst}}} = \text{Schockindex}$$

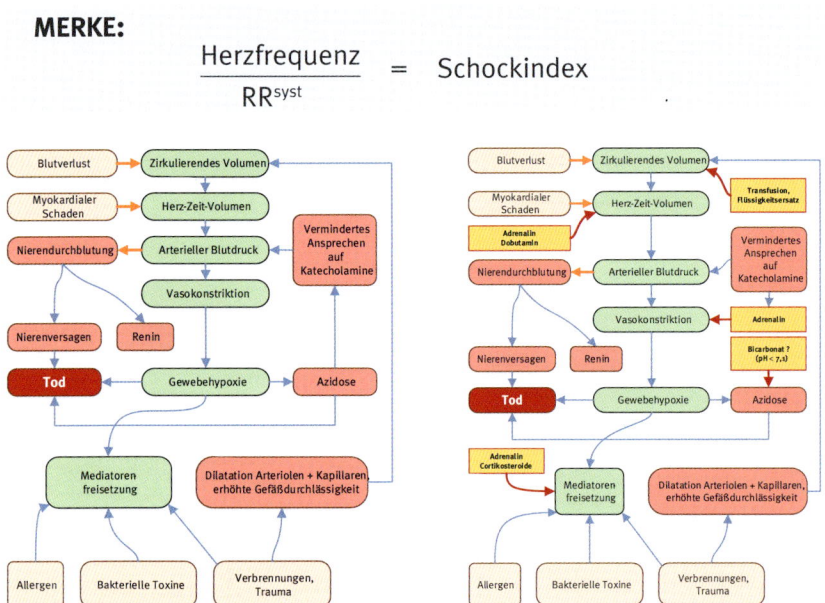

Abb. 1: Pathophysiologische Zusammenhänge bei der Entstehung des Schocks

Abb. 2: Angriffspunkte verschiedener Pharmaka bei der Schocktherapie

1.3 Dehydratation

Wie Sie oben gelesen haben liegt dem Schock ein intravasaler Flüssigkeitsmangel zugrunde. Den finden wir aber auch bei einer Exsikkose (z.B. bei einem Magen-Darm-Infekt), ohne dass gleich ein Schock vorliegt. Einige klinische Zeichen helfen, das Ausmaß eines Flüssigkeitsverlustes bei einer Dehydratation abzuschätzen (Tabelle 1).

Tabelle 1: Schockzeichen

Leicht (3-5% des KG)	Mittel (6-8% des KG)	Schwer (9-12% des KG)
trockene Schleimhäute	trockene Schleimhäute	erniedrigter Blutdruck
konzentrierter Urin	Oligurie	verminderte Hautperfusion (verlängerte Füllungszeit auf Fingerdruck)
verminderter Axillarschweiß	verminderter Hautturgor	Azidose
leicht erhöhte Herzfrequenz	erhöhte Herzfrequenz	Anurie
	noch normaler Blutdruck	

Haben Sie sich gerade beim Lesen von Tabelle 1 einmal Gedanken gemacht, wie viele Senioren eine leichte Dehydratation aufweisen? Es sind sicherlich sehr viele Patienten, denn die möglichen Ursachen sind vielschichtig:

1. **Gastrointestinal**
   - Erbrechen
   - Diarrhoe
   - Fisteln

2. **Renal**
   - Diuretika
   - Polyurische Phase des Nierenversagens
   - Aldosteronmangel
   - Diabetes mellitus
   - Diabetes insipidus

3. **Verluste im „dritten Raum"**
   - Ileus
   - Pankreatitis

4. **Haut**
   - Schwitzen
   - Verbrennungen

5. **Unzureichende Flüssigkeitszufuhr**

Tabelle 2: Durchschnittlicher relativer Wassergehalt verschiedener Organe und deren Anteil am Körpergewicht eines Erwachsenen

Organ bzw. Gewebe	Wassergehalt (%)	Anteil am Körpergewicht (%)
Glaskörper des Auges	99	< 0,1
Blut	83	7,5
Nieren	83	0,4
Herz	79	0,5
Skelettmuskulatur	76	41
Gehirn	75	2
Haut	72	18
Leber	68	2
Knochen	22	16
Fettgewebe	10-30	10

Infusionslösungen

Bei allen Erkrankungen macht es Sinn, das Flüssigkeitsdefizit auszugleichen. Sie legen einen Zugang in eine Vene, schließen eine Infusion mit einer kristalloiden Lösung (z.B. Ringerlösung) an, dem Patienten geht es wieder besser. Nach einer kurzen Zeit sinkt der Blutdruck erneut ab. Was ist mit der Ringerlösung passiert? Ist sie vielleicht verdampft? Machen wir uns hier ein paar Gedanken zum Elektrolyt- und Flüssigkeitshaushalt des Menschen. Ein Neugeborenes besteht zu etwa 75% aus Wasser, bei einem erwachsenen Mann sind es nur noch 50-70%. Der Wasseranteil ist, wie Tabelle 2 zeigt, von Organ zu Organ unterschiedlich. So langsam werden Sie bestimmt Zweifel an dem bekommen, was ich hier schreibe. Ich soll bei einem Wasseranteil meines Gehirns von 75% denken können? Ich habe doch keinen Wasserkopf! Doch, das ist so, wir alle haben ein „Wassergehirn", aber dazu muss ich noch etwas erklären. Jetzt kommen extra- und intrazelluläre Flüssigkeiten ins Spiel. Sie alle wissen ja, dass unser Körper aus vielen Zellen besteht und die sind allesamt mit Flüssigkeit gefüllt. Und da wir aus vielen Milliarden Zellen bestehen, ist das in den Zellen gespeicherte Wasser sogar der größere Anteil des gesamten Wassers im Körper. Tabelle 3 zeigt Ihnen die Verteilung zwischen extra- und intrazellulärer Flüssigkeit.

Tabelle 3: Durschnittlicher Flüssigkeitsgehalt der Kompartimente beim jungen Erwachsenen

	Volumen (l)	% des Körpergewichts
Extrazelluläre Flüssigkeit	17	24
Interstitielle Flüssigkeit	12	17
Blutplasma	3	4
Transzelluläre Flüssigkeit (Liquor, Synoviaflüssigkeit u.a.)	2	3
Intrazelluläre Flüssigkeit	28	40
Gewebezellenflüssigkeit	25,5	36,5
Blutzellenflüssigkeit	2,5	3,5
Gesamtkörperflüssigkeit	45	64

Sie wissen nun wo und wie sich im Körper die Flüssigkeit verteilt. Bleibt nur noch nach dem Verbleib der Elektrolyte zu fragen und die sind in unterschiedlicher Konzentration in den Kompartimenten enthalten (Tabelle 4).

Was fällt in Tabelle 4 auf? Zum einen sind sich Blutplasma und die interstitielle Flüssigkeit sehr ähnlich. Unterschiede bestehen im Wesentlichen nur auf der Anionenseite bei den Proteinen. Die können im Gegensatz zu den kleineren Ionen, die sich frei zwischen den Kompartimenten verteilen können, aufgrund ihrer Größe nur schwer die Wand der kleinen Blutgefäße durchdringen. Natriumionen stellen in beiden Flüssigkeiten das wesentliche Kation und Chloridionen das Haupt-Anion dar. Ganz anders sieht es in der intrazellulären Flüssigkeit aus. Hier sind Kaliumionen das dominierende Kation und Phosphationen der entscheidende negative Ladungsträger. Diese deutlichen Unterschiede zwischen der extra- und intrazellulären Ionenverteilung sind das Ergebnis von energieverbrauchenden Transportern, die aktiv Natriumionen aus einer Zelle heraus und Kaliumionen hineintransportieren und so die Grundvoraussetzung für die Funktion vieler Körperfunktionen (z.B. Nervenleitung, Muskelkontraktionen) sind.

Infusionslösungen

Was passiert nun, wenn eine Flüssigkeitslösung (z.B. Ringer-Lösung) in das Gefäßsystem gelangt? Zunächst wird das gegebene Volumen die intravasale Flüssigkeit vergrößern. Sie sehen das daran, dass sich der Blutdruck des Patienten bessert, der Puls sinkt. Die in der Ringer-Lösung enthaltenen Ionen sind aber so klein, dass sie sich nicht nur im Intravasalraum, sondern im gesamten Extrazellularraum verteilen können und mit ihnen natürlich auch die dazugehörige Flüssigkeit (weiter unten mehr dazu). Mehr noch. Der extrazelluläre Raum steht ja auch mit dem intrazellulären Kompartiment in Verbindung. Ist dessen Flüssigkeitsgehalt reduziert, wird natürlich auch dieses Kompartiment wieder aufgefüllt.

Tabelle 4: Ionenkonzentration in verschiedenen Kompartimenten

	Blutplasma		Interstitielle Flüssigkeit		Intrazelluläre Flüssigkeit	
	(mmol/l)	(mval/l)	(mmol/l)	(mval/)	(mmol/kg)	(mval/kg)
Kationen						
Na^+	142	142	144	144	12	12
K^+	4	4	4	4	150	150
Ca^+	2,5	5	1,3	2,6	1	2
Mg^{2+}	1	2	0,7	1,4	13	26
Summe	**149,5**	**153**	**150**	**152**	**176**	**190**
Anionen						
Cl^-	104	104	115	115	4	4
HCO^{3-}	24	24	27	27	12	12
Phosphat	1,5	2,5	1,5	2,5	30	50
Proteinate	1,5	16	0	0,5	6	54
Sonstige	6	6,5	6,5	7	65	70
Summe	**137**	**153**	**150**	**152**	**117**	**190**

Die Folge beider Prozesse: das Volumen im Intravasalraum nimmt wieder ab, der Blutdruck sinkt. Wie kann man das verhindern? Ganz einfach! In die Infusion müssen Substanzen rein, die so groß sind, dass sie den intravasalen Raum nicht verlassen können. Genau das ist der Fall bei den kolloidalen Plasmaersatzmitteln.

1.4 Kolloidale Plasmaersatzmittel

Kolloidale Plasmaersatzmittel werden gelegentlich auch als Plasmaexpander bezeichnet. Woher rührt eigentlich diese Bezeichnung? Machen wir dazu einen kleinen Ausflug in die Chemie. Stellen Sie sich ein Gefäß vor, das reinstes Wasser enthält. Keine Kaliumionen, kein Kochsalz, keine Glucose, nichts als Wasser. In dieses Gefäß geben Sie einen Löffel Kochsalz. Was passiert? Zunächst ist das Kochsalz natürlich in höchsten Konzentrationen in den Bereichen des Gefäßes enthalten, die der Stelle naheliegen, wo Sie das Kochsalz in das Gefäß geschüttet haben. Direkt mit dem Hineinschütten beginnen mehrere Vorgänge (siehe Abbildung 3):

a) das Kochsalz löst sich auf (sofern Sie nicht Unmengen in das Glas geschüttet haben),
b) die Natrium- und Chloridionen verteilen sich völlig gleichmäßig im Gefäß.

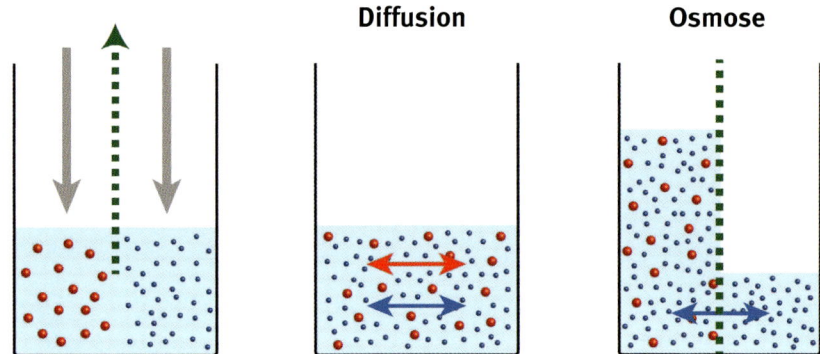

Diffusion   **Osmose**

Abb. 3: Der Unterschied zwischen Diffusion und Osmose im Vergleich

Nach einer gewissen Zeitspanne können Sie eine Probe nehmen, wo Sie wollen. Sie werden immer die gleiche Konzentration messen. Dieser Vorgang kommt durch die Diffusion zustande (Abbildung 3). Jetzt bauen wir das Gefäß ein wenig um. Genau in die Mitte des Gefäßes wird eine dünne Membran, ähnlich einer Frischhaltefolie, eingebaut und dicht mit der Wand des Gefäßes verschlossen. In beide Hälften des Gefäßes wird jetzt die gleiche Menge Flüssigkeit gegeben, aber nur in eine Hälfte der Löffel mit Kochsalz. Was passiert? Klar, als erstes löst sich das Kochsalz wieder auf. Dann können Sie etwas ganz Merkwürdiges beobachten. Der Wasserspiegel steigt in der Hälfte an, in die Sie das Kochsalz gegeben haben und in der anderen Hälfte des Glases sinkt der Wasserspiegel.
Was ist passiert? Genau wie im ersten Teil unseres Experiments verteilen sich die Natrium- und Chloridionen in ihrer Hälfte. Die dünne Membran besitzt nun kleine Poren, durch die Natrium- und Chloridionen gerne auch in die zweite Hälfte des Gefäßes gelangen würden. Aber sie sind zu „dick". Was tun? Die Natur ist immer bestrebt, Ungleichgewichte auszugleichen. So auch jetzt. Wir haben eine Hälfte des Gefäßes, in der sich reinstes Wasser befindet. In der anderen Hälfte haben wir eine Kochsalzlösung. Die Poren in der Membran sind zu klein für Natrium- und Chloridionen. Jetzt bleibt nur noch eine Möglichkeit. Wenn schon die Ionen nicht durch die Poren passen, kann vielleicht das Reinst-Wasser die Poren passieren? Dann könnte die Kochsalzlösung zumindest verdünnt werden, wenn schon nicht ein vollständiger Konzentrationsausgleich möglich ist. Und genau so passiert es. Die Wassermoleküle sind so klein, dass sie durch die Poren passen. Sie sehen das daran, dass der Wasserspiegel auf der einen Seite sinkt und auf der anderen Seite steigt (Abbildung 3). Die Kraft, die den Wasserspiegel ansteigen lässt, ist der osmotische Druck (besser müsste man osmotischer Sog sagen). Je mehr Kochsalz Sie in die eine Hälfte des Gefäßes geben, desto größer ist der osmotische Druck. Dies können Sie so lange steigern, bis sich kein Kochsalz mehr löst, denn nur gelöste Moleküle üben einen osmotischen Druck aus. In unserem Körper gibt es auch einen osmo-

tischen Druck. Er beträgt ca. 300 mosm/l und kommt im Wesentlichen durch Natriumionen, Harnstoff und Glucose zustande. Daneben gibt es auch noch einen kolloidosmotischen Druck, der durch Eiweiße im Blut entsteht. Der kolloidosmotische Druck sorgt unter anderem dafür, dass die nach Passage des Kapillarnetzes abgepresste Flüssigkeit wieder in das Gefäßsystem zurück „gesaugt" wird. Können Sie sich eine Krankheit vorstellen, bei der das nicht funktioniert und wie die Symptomatik dann aussieht?

Alle Patienten, die unter einem Eiweißmangel leiden, können die abgepresste Flüssigkeit nicht mehr in normalem Maße „rückresorbieren". Sie entwickeln Ödeme. Die Ursache für den Eiweißmangel spielt dabei keine Rolle. Kolloidale Volumenersatzmittel wirken ähnlich wie Eiweiße. Im Gegensatz zu den kristalloiden Lösungen enthalten sie Substanzen, die aufgrund ihrer Größe dünne Membranen nur schwer passieren können. Je nachdem, wie viele dieser „großmolekularen" Substanzen gelöst vorliegen, entwickelt sich eine so große „Saugkraft", dass auch Flüssigkeit aus dem interstitiellen Raum in das Gefäßsystem gezogen wird.

Kolloidale Plasmaersatzmittel wurden mit dem Ziel in die Therapie eingeführt, körpereigene Plasmaflüssigkeiten zu ersetzen.

Folgende Bedingungen sollte ein kolloidales Ersatzmittel erfüllen:

- gute Volumenwirksamkeit
- ausreichende Verweildauer im Gefäßsystem
- gute Verträglichkeit und biologische Indifferenz
- Abbaubarkeit im Organismus und/ oder
- vollständige Ausscheidbarkeit über die Nieren

- keine Erhöhung der Blutviskosität
- keine Störung der Blutgruppen- und labordiagnostik
- keine Beeinflussung der Blutgerinnung
- keine Antigenität
- haltbar
- temperaturstabil

Grundsätzlich kommen für ein derartiges Plasmaersatzmittel drei verschiedene Substanzgruppen in Frage:

- Dextran
- Hydroxyethylstärke (HAES)
- Gelatine

In den vergangenen Jahren hat sich jedoch herausgestellt, dass einige Substanzgruppen gewisse Nachteile aufweisen. So sind anaphylaktische Reaktionen und eine Gerinnungsbeeinflussung Probleme, die sich beim Einsatz von Dextran einstellen können. Gelatine ist ein Tierprodukt (Stichwort BSE), bei welchem es auch gewisse Vorbehalte gibt. Somit bleibt nur noch

Infusionslösungen

Hydroxyethylstärke übrig. Durch Einführung der Hydroxylgruppe wird HAES durch die α-Amylase, das stärkespaltende Enzym unseres Körpers, nur verzögert abgebaut. Der Einfluss auf die Blutgerinnung ist bedeutend geringer als bei Dextranen, auch anaphylaktische Reaktionen werden seltener beobachtet. Die im Handel erhältlichen Präparate unterscheiden sich im Wesentlichen durch das mittlere Molekulargewicht (450.000, 200.000, 70.000 Da) der Hydroxyethylstärke.

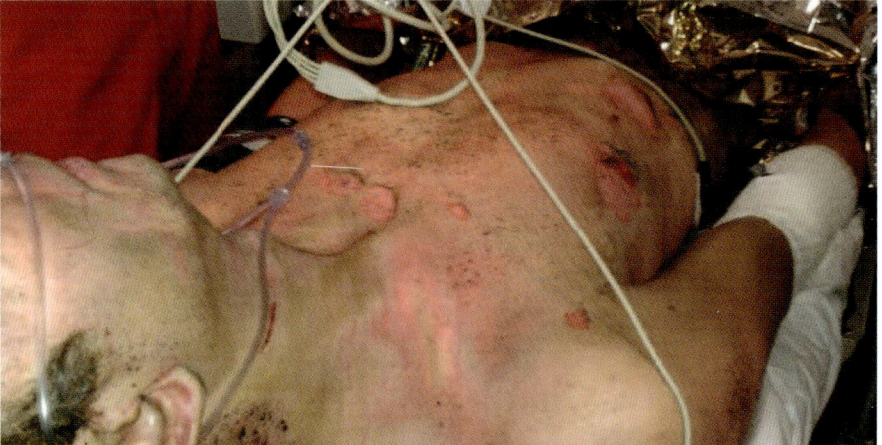

Abb. 4: Zweitgradige Verbrennungen als Kontraindikation für die Anwendung von Stärkelösungen: Durch die Hitzeeinwirkung auf den menschlichen Körper erfolgt eine Vasodilatation und Permeabilitätssteigerung der Gefäßwände. Dies begünstigt einen Austritt der zuvor applizierten Stärke aus dem Gefäßsystem in das Interstitium. Durch den so erzeugten osmotischen Gradienten verliert die Blutbahn vermehrt Flüssigkeit und gefördert wird eine Ödembildung im Gewebe.

1.4.1 Indikationen

HAES-steril 3% ist laut Fachinformation zugelassen für die Therapie und Prophylaxe von Volumenmangel (Hypovolämie) und Schock, wenn die Gabe einer kristalloiden Infusionslösung nicht als ausreichend angesehen wird. Die Einschränkung „wenn die Gabe einer kristalloiden Infusionslösung nicht als ausreichend angesehen wird" wurde mit einem Rote-Hand-Brief im November 2013 in die Fachinformation eingeführt.

1.4.2 Dosierung

Die Dosierung (Tagesdosis und Infusionsgeschwindigkeit) ist am Ausmaß des Flüssigkeitsverlustes, klinischen Parametern (Hämodynamik) und laborchemischen Parametern (Hämodilution) auszurichten und soll so gering wie möglich sein. Die maximale Tagesdosis beträgt 66 ml/kg KG! Da auch bei HAES das Risiko einer anaphylaktischen Reaktion möglich ist, sollen die ersten 10-20 ml langsam gegeben werden.

1.4.3 Gegenanzeigen

Die Fachinformation nennt folgende Gegenanzeigen:

- Sepsis
- Verbrennungen
- kritisch kranke Patienten
- schwere Herzinsuffizienz
- Niereninsuffizienz (einschließlich Patienten unter Dialysebehandlung)
- Hyperhydratationszustände einschließlich Lungenödem
- schwere Blutgerinnungsstörungen

- intrakranielle Blutung
- bekannte Überempfindlichkeit gegen Hydroxyethylstärke
- schwere Hypernatriämie
- schwere Hyperchlorämie
- Schwangerschaft, 1. Trimenon. Im weiteren Verlauf der Schwangerschaft darf das Präparat nur bei vitaler Indikation angewendet werden

Die Therapie mit HAES führt zu einer gewünschten Expansion des effektiven zirkulierenden Flüssigkeitsvolumens. Für bestimmte Patientengruppen kann diese Volumenexpansion aber durchaus kritisch sein (Herzinsuffizienz, Hyperhydratation). Da die Ausscheidung über die Nieren erfolgt, birgt eine fortgeschrittene Niereninsuffizienz auch gewisse Risiken in sich. Immerhin wurden nach fünf Tagen nur 60% der Substanz über die Nieren ausgeschieden! Die Volumenexpansion hat noch einen weiteren (unerwünschten) Effekt: Die Konzentration mancher Blutbestandteile nimmt durch die Verdünnung ab. Dies ist in besonderem Maße für die Gerinnungsfaktoren bedeutsam und erklärt, wieso HAES bei Blutgerinnungsstörungen oder Blutungen nicht verwendet werden sollte.

1.4.4 Warnhinweise

Diese betreffen im Wesentlichen Patienten, die auf einer Intensivstation über einen längeren Zeitraum behandelt werden. Trotzdem lohnt es sich, einen Blick darauf zu werfen.

- ausreichende Flüssigkeitszufuhr (2-3 Lit. Flüssigkeit pro Tag) sicherstellen.
- Kontrollen des Elektrolytstatus und der Wasserbilanz.
- Kontrolle des Serumkreatinins. Bei Kreatininwerten von 1,2-2,0 mg/dl bzw. 106-177 µmol/l, tägliche Kontrolle der Flüssigkeitsbilanz sowie der renalen Retentionswerte.
- normales Serumkreatinin und pathologische Urinbefunde: tägliche Kontrolle der Nierenfunktion.
- Bei mehrtägiger Therapie: regelmäßige Kontrolle der Nierenretentionswerte.
- Wird bei einer Daueranwendung der Grenzwert für Serumkreatinin von 2 mg/dl überschritten, so ist die Behandlung unverzüglich abzubrechen.
- Bei schweren Dehydratationszuständen sollte zunächst eine Therapie mit kristalloiden Lösungen (vorzugsweise Elektrolytlösungen) erfolgen.
- Bei schweren chronischen Lebererkrankungen sowie bei Patienten mit schweren Blutgerinnungsstörungen, z. B. bei schwerem von-Willebrand-Syndrom, ist besondere Vorsicht geboten.

1.4.5 Nierenfunktion

Wieso ist auf eine ausreichende Flüssigkeitszufuhr zu achten? Wie Sie oben gelesen haben, füllen kolloidale Volumenersatzmittel in erster Linie den intravasalen Raum auf. Ein Flüssigkeitsdefizit herrscht aber auch regelmäßig intrazellulär und diesen Mangel kann man durch Elektrolytlösungen ausgleichen. Wenn Sie sich Gegenanzeigen, Warnhinweise und Nebenwirkungen durchlesen, fällt auf, dass eine Nierenfunktionsstörung problematisch ist, und dies aus mehreren Gründen. Zum Einen gilt es als gesichert, dass HAES-haltige Lösungen das Risiko für Nierenfunktionsstörungen sowie eine Nierenersatztherapie erhöhen. Auf der anderen Seite wird HAES aber auch über die Nieren ausgeschieden.

Eine sich schleichend entwickelnde Niereninsuffizienz kann fatale Folgen haben und das erklärt, wieso der Einsatz bei Niereninsuffizienz so kritisch gesehen wird.

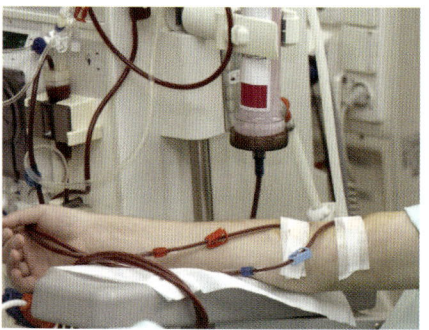

Abb. 5: Dialyse bei stark ausgeprägter Niereninsuffizienz

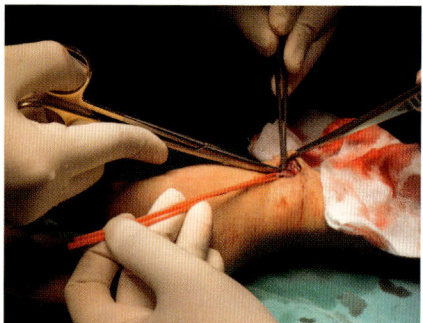

Abb. 6: Operative arteriovenöse Shuntbildung zur Dialysetherapie

1.4.6 Wechselwirkungen

Wechselwirkungen bestehen erfreulicherweise nicht.

1.4.7 Nebenwirkungen

- Juckreiz bei längerfristiger, täglicher Gabe von Hydroxyethylstärke im mittleren und hohen Dosierungsbereich
- bei hoher Dosierung Verdünnung von Blutkomponenten (Gerinnungsfaktoren, andere Plasmaproteine) und Abfall des Hämatokrit möglich
- Aktivität der Serumamylase unter Gabe von Hydroxyethylstärke häufig erhöht
- Schmerzen in der Nierengegend (Lendenschmerzen) möglich. Infusion stoppen, ausreichend Flüssigkeit zuführen, engmaschige Kontrolle der Nierenfunktion
- anaphylaktoide Reaktionen möglich. Infusion sofort stoppen, übliche Sofortmaßnahmen einleiten

18.4.8 Besondere Hinweise

HAES-steril 3% ist in Plastikflaschen fünf Jahre, in Polyolefin-Beuteln drei Jahre haltbar. Besondere Maßnahmen bei der Aufbewahung sind nicht erforderlich.

1.4.9 Schlussbemerkung

Nach Lektüre des Abschnittes zu HAES sind Sie bestimmt zu dem Schluss gekommen, dass diese Substanz nur mit großer Vorsicht gegeben werden sollte. Diese Vorbehalte sind durchaus berechtigt. Es droht nicht nur ein Nierenversagen, auch die Mortalität ist zumindestens bei Sepsis erhöht. Die Gabe von HAES sollte deshalb absoluten „Notfällen" vorbehalten bleiben, zumal sich auch in weiteren Studien kein Überlebensvorteil im Vergleich zu einer Therapie mit kristalloiden Lösungen einstellte.

1.5 Jonosteril®-Infusionslösung

Jonosteril®-Infusionslösung ist ein kristalloides isotonisches Volumenersatzmittel, dessen wichtigste Kationen (Natrium- und Kaliumionen) der üblichen Zusammensetzung des Plasmas weitestgehend entsprechen. Es kann zur Korrektur bei Veränderungen im Elektrolyt- und Flüssigkeitshaushalt verwendet werden. Jonosteril® enthält mit Acetat ein organisches Anion, das in der Leber oxidiert und zu Bikarbonat metabolisiert werden kann. Dadurch ist die Gabe auch bei einer azidotischen Stoffwechsellage möglich.

Die Infusion ist nicht zu 100% volumenwirksam. Lediglich 1/3 des Infusionsvolumens verbleiben im intravasalen Raum. Ein wesentlicher Teil des Volumens wird im Interstitium verteilt, das 2/3 des extrazellulären Raumes ausmacht. Die in Jonosteril® enthaltenen Ionen verteilen sich unterschiedlich in den verschiedenen Kompartimenten des Körpers. Natrium, Calcium und Chloridionen sind hauptsächlich extrazellulär anzutreffen, Kalium ist das Haupt-Ion des intrazellulären Raumes. Das wesentliche Organ für die Konstanthaltung des Wasser- und Elektrolythaushaltes ist die Niere. Sie sorgt für die Ausscheidung überflüssigen Wassers und ist auch das wesentliche Eliminationsorgan für Natrium-, Kalium-, Magnesium-, und Chloridionen. Kaliumionen werden zu ca. 10% auch über den Darm ausgeschieden, für Calciumionen teilen sich Nieren und Darm brüderlich die Arbeit. Apropos, was sind überhaupt Kationen und Anionen? Der Begriff Ion steht für ein geladenes Teilchen. Kationen werden die positiv geladenen Teilchen genannt, Anionen die negativ geladenen Teilchen.

1.5.1 Indikationen

Jonosteril® ist für die Therapie der folgenden Erkrankungen bei Neugeborenen, Kleinkindern, Kindern, Jugendlichen und Erwachsenen zugelassen:

- Flüssigkeitsersatz bei ausgeglichenem Säure-Basen-Haushalt und bei leichter Azidose,
- Kurzfristiger intravasaler Volumenersatz,
- Isotone Dehydratation,
- Hypotone Dehydratation

1.5.2 Zusammensetzung

Jonosteril® ist eine isotone Vollelektrolytlösung folgender Zusammensetzung:

Tabelle 5: Zusammensetzung von Jonosteril®-Infusionslösung.

	Jonosteril® 1000 ml
Natriumchlorid (g)	6,430
Natriumazetat-Trihydrat (g)	3,674
Kaliumazetat (g)	0,393
Calciumazetat (g)	0,261
Magnesiumazetat-Tetrahydrat (g)	0,268
Osmolarität (mosm/l)	291
pH-Wert	5,0-7,0
Natrium (mmol/l)	137
Kalium (mmol/l)	4,0
Calcium (mmol/l)	1,65
Magnesium (mmol/l)	1,25
Chlorid (mmol/l)	110
Azetat (mmol/l)	36,8

1.5.3 Dosierung

Wesentliche Richtgröße für die Dosis ist das klinische Bild des Patienten und sein individueller Elektrolyt- und Flüssigkeitsbedarf. Anhaltspunkte für die Infusionsgeschwindigkeit sowie die maximale Tagesdosis sind in Tabelle 6 enthalten.

Tabelle 6: Dosierungsempfehlung für die intravenöse Gabe von Jonosteril®-Infusionslösung für verschiedene Patientengruppen.

Altersklasse	Maximale Infusionsgeschwindigkeit	Maximale Tagesdosis
Erwachsene	5 ml/kg KG/h (ca. 350 ml/h bei 70 kg KG)	40 ml/kg KG/Tag
Jugendliche	5 ml/kg KG/h (ca. 350 ml/h bei 70 kg KG)	40 ml/kg KG/Tag
Kinder	2-4 ml/kg KG/h	20-40 ml/kg KG/Tag
Kleinkinder	4-6 ml/kg KG/h	20-40 ml/kg KG/Tag
Neugeborene	6-8 ml/kg KG/h	20-40 ml/kg KG/Tag
Erwachsene	3-4faches des Blutverlustes	nur abhängig von der klinischen Situation
Jugendliche	3-4faches des Blutverlustes	nur abhängig von der klinischen Situation
Kinder	3-4faches des Blutverlustes	nur abhängig von der klinischen Situation
Kleinkinder	3-4faches des Blutverlustes	nur abhängig von der klinischen Situation
Neugeborene	3-4faches des Blutverlustes	nur abhängig von der klinischen Situation

Infusionslösungen

Jonosteril® kann nicht nur intravenös, sondern auch subkutan angewendet werden. Dies ermöglicht, einen wenig bedrohlichen Zustand des Patienten einmal vorausgesetzt, einen Flüssigkeitsersatz auch bei schlechtem Gefäßstatus ohne Anwendung risikoreicher (zentraler Venenkatheter) oder invasiver (intraossär) Verfahren. Jonosteril® wird mit einer Infusionsgeschwindigkeit von 20-125 ml/h (125 ml/h als maximale Geschwindigkeit) infundiert. Üblich sind 500-2000 ml/Tag, wobei 1500 ml über eine Einstichstelle infundiert werden können. Ab 1500 ml/24h ist eine zweite Einstichstelle erforderlich.
Die Infusion eines derartigen Flüssigkeitvolumens intravenös kann in vielen Fällen nicht so schnell abtransportiert werden, so dass, in Abhängigkeit von der infundierten Menge, Ödeme beobachtet werden. Nachteilig ist sicherlich auch, dass das infundierte Volumen erst mit einer Verzögerung in das intravasale Kompartiment gelangt. Dieser Nachteil kann aber gerade bei Patienten mit einer Herzinsuffizienz, bei denen die an klinischen Kriterien orientierte Flüssigkeitsgabe oft ein schmaler Grad ist, vorteilhaft sein, vermeidet sie doch eine zu hohe intravasale Flüssigkeitsbelastung mit einem Lungenödem als mögliche Folge. Die subkutane Gabe ist deshalb nicht als kurzfristiger Volumenersatz, sondern nur zur Flüssigkeits- und Elektrolytsubstitution und zur Therapie einer leichten bis mittelgradigen Dehydratation geeignet. Die subkutane Gabe sollte einen Zeitraum von einem Monat nach Möglichkeit nicht überschreiten.

1.5.4 Kontraindikationen

Jonosteril® Infusionslösung darf nicht bei einer Allergie gegen die Inhaltsstoffe (das sind ja lediglich Wasser, Salzsäure, Natronlauge und einige weitere Ionen), einer Überwässerung oder einer Hyperkaliämie angewendet werden. Für die subkutane Infusion kommen als weitere Kontraindikation noch hinzu:

- schwere Dehydratation
- Notfallsituationen (Kollaps, Schock, Sepsis, schwere Elektrolytstörungen)
- Hautinfektionen oder allergische Hauterkrankungen am Injektionsort

Können Sie sich einen oder mehrere Gründe vorstellen, wieso die s.c.-Gabe bei Notfallsituationen kontraindiziert ist? Ein Grund ist sicherlich, dass die Aufnahme der Flüssigkeit in das Gefäßsystem zu lange dauert. Hinzu kommt aber auch, dass bedingt durch eine mögliche Zentralisation die Resorption aus dem subkutanen Gewebe nochmals verlangsamt wird.

1.5.5 Besondere Warnhinweise

Bei der Anwendung von Jonosteril® im Rettungsdienst liegt üblicherweise eine Notfallsituation ohne die diagnostischen Möglichkeiten einer Klinik vor, weshalb verständlicherweise nur wenige Warnhinweise wirklich relevant sind.
Gerade bei der subkutanen Gabe macht es Sinn, auf das Vorliegen von Zeichen einer Gerinnungsstörung zu achten oder die Einnahme von oralen Antikoagulantien (z.B. Marcumar®) zu erfragen. Dass die subkutane Gabe nicht in eine ödematöse Region erfolgen soll, dürfte selbstverständlich sein. Bei Kindern sollte von dieser Applikationsform auch Abstand genommen werden, da die Wirksamkeit nicht belegt ist. Die Entwicklung einer Hyperkaliämie stellt auch eine mögliche Risikokonstellation dar, besonders dann, wenn zeitgleich Erythrozytenkonzentrate verabreicht werden. Die enthalten herstellungsbedingt und aufgrund der begrenzten Lebensdauer der Erythrozyten immer etwas mehr Kaliumionen.

1.5.6 Wechselwirkungen

Auch wenn Jonosteril® nur Elektrolyte enthält, sind aufgrund physiologischer und/oder pharmakologischer Zusammenhänge Interaktionen möglich. Jonosteril® enthält, wie Sie der Zusammensetzung entnehmen können, 137 mmol/l Natriumionen. Kennen Sie Medikamente, bei denen sich aus einer Kombination mit Jonosteril® Probleme ergeben könnten? Machen Sie sich an dieser Stelle noch einmal klar, dass Natrium- und Wasserhaushalt unmittelbar aneinander gekoppelt sind. Viel Natrium im Körper bedeutet regelmäßig auch viel Wasser im Körper. Welche Medikamente begünstigen diese Entwicklung? Wenn Sie an Cortisonpräparate gedacht haben, liegen Sie richtig. Die halten Natriumionen und damit auch Wasser im Körper zurück. Gleiches machen, über einen anderen Mechanismus, auch mittelstarke Schmerz- und Rheumamedikamente wie Diclofenac, Ibuprofen und andere.

Jonosteril® enthält auch größere Menge Kalium und eine mögliche Komplikation im Zusammenhang mit einer Transfusion habe ich Ihnen ja schon genannt. Welche Medikamente können noch die Kalium-Konzentration erhöhen? Dies sind:

* Kaliumsparende Diuretika (Spironlacton, Aldactone)

* ACE-Hemmer

* Angiotensin-II-Rezeptor-Antagonisten

Vor allem bei einer gleichzeitig bestehenden Niereninsuffizienz können sich lebensbedrohliche Zustände entwickeln. Werfen Sie also einen Blick auf den Gefäßstatus des Patienten. Hat der einen Shunt oder einen Dialysekatheter, ist Vorsicht geboten. Das letzte wichtige Kation in diesem Zusammenhang ist Ca^{++}. Calcium spielt eine ganz entscheidende Rolle für die Muskelkontraktion. Die Hyperventilationstetanie ist solch ein Beispiel. Sie kommt dadurch zustande, dass durch die Hyperventilation der pH-Wert des Blutes durch Abatmen von Kohlendioxid steigt, das Blut somit alkalischer wird. Und was hat das mit Calcium zu tun? Calcium ist im hohen Maße an Eiweiße im Plasma gebunden. Der Prozentsatz der Bindung, der ist allerdings vom pH-Wert abhängig. Steigt der an, dann ist auch der an Eiweiße gebundene Calcium-Anteil höher. Leider nützt uns dieser Anteil nichts, denn nur das freie ionisierte Calcium kann für Muskelkontraktionen genutzt werden. Die Folgen einer Hyperventilation sind Ihnen allen bekannt, hier sei nur an die „Pfötchenstellung" erinnert. Kennen Sie noch eine Situation, bei der Calcium eine wichtige Rolle in der Therapie einer Erkrankung spielt? Es handelt sich um die Herzinsuffizienz. Die wurde früher sehr gerne mit Digitalis-Glykosiden (Inhaltsstoffe aus dem Fingerhut) behandelt. Letztendlich führt die Therapie mit Digitalis zu einer Erhöhung der intrazellulären Calciumkonzentration im Herzen, wodurch die Kontraktionskraft steigt. Kombinieren wir nun eine Digitalis-Therapie mit einer Jonosteril®-Infusion, dann haben wir möglicherweise des Guten zu viel getan. Digitalispräparate spielen heutzutage aber nur noch eine untergeordnete Rolle in der Therapie der Herzinsuffizienz.

1.5.7 Besondere Hinweise

Jonosteril® enthält Calciumionen. Beim Mischen mit oxalat-, phosphat-, carbonat-, oder hydrogencarbonathaltigen Lösungen können Ausflockungen (unlösliche Verbindungen von Calcium-, mit Oxalat-, Phosphat-, Carbonat-, oder Hydrogencarbonationen) entstehen. Die Infusionslösungen (Polyethylenflaschen) sind fünf Jahre bei einer Temperatur von weniger als 25°C haltbar. Nach Zusatz von Additiven (Arzneimitteln) sollte die Lösung unmittelbar verwendet werden. Die maximale Lagerungszeit beträgt 24h bei einer Temperatur von 2-8°C.

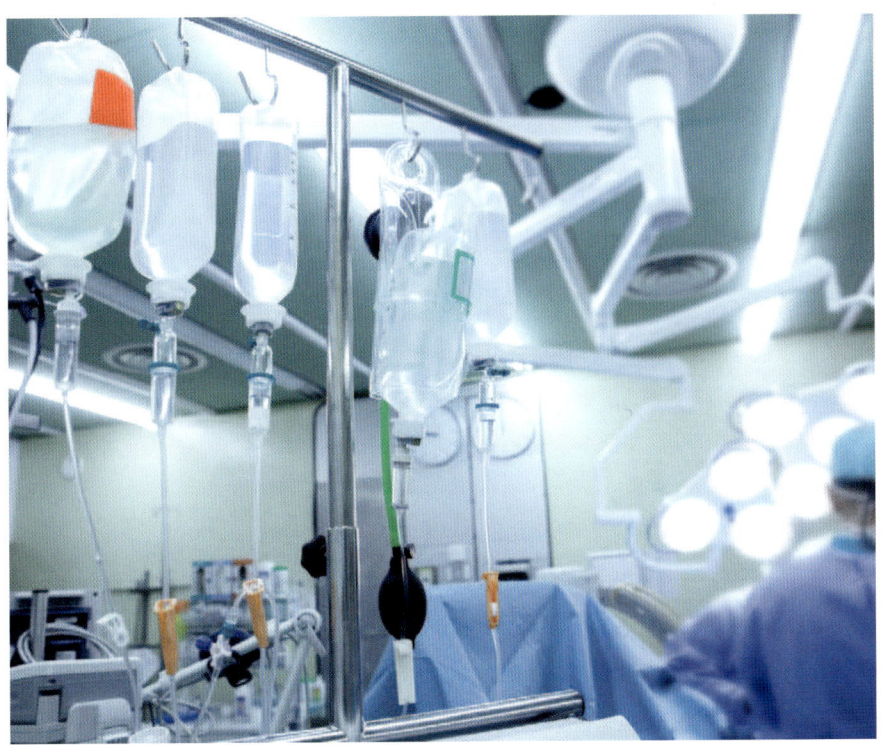

Abb. 7: Operative Kombination kristalloider sowie kolloidaler Infusionslösungen

Checkliste Schock

Kolloidale Plasmaersatzmittel
Plasmaexpander
Dextran
Hydroxyethylstärke (HAES)
Gelatine

Wirkweise und Wirkdauer
+ Flüssigkeitsbindung (dadurch Volumenwirksamkeit)
+ Flüssigkeitsdiffusion aus dem interstitiellen Raum
+ Volumeneffekt von 4-6 Stunden

Indikationen und Dosierung
+ Volumenmangel, wenn Therapie mit kristalloiden Infusionslösungen nicht ausreicht
+ Tageshöchstdosis: 66 ml / kg KG
+ Erste 10-20 ml langsam infundieren, da anaphylaktische Reaktionen möglich sind

Nebenwirkungen
+ Juckreiz möglich
+ Hämatokritabfall möglich
+ Aktivitätssteigerung der Serumamylase
+ Schmerzen in der Nierengegend möglich
+ anaphylaktische Reaktionen möglich, s.o.

Kontraindikationen
+ Sepsis
+ Verbrennungen
+ kritische Erkrankungen
+ schwere Herzinsuffizienz
+ Niereninsuffizienz

+ Blutgerinnungsstörungen
+ Intrakranielle Blutungen
+ Hypernatriämie, Hyperchlorämie
+ Schwangerschaft, 1. Trimenon

Besondere Hinweise
+ HAES-steril 3% in Plastikflasche 5 Jahre und in Polyolefinbeutel 3 Jahre haltbar

Kristalloide Infusionslösungen
Jonosteril®-Infusionslösung

Wirkweise und Wirkdauer
+ isotonisches Volumenersatzmittel
+ Vollelektrolytlösung
+ Wirkweise kann auch über subcutane Gabe erreicht werden
+ intravasaler Verbleib etwa 30 Minuten

Indikationen
+ Flüssigkeitsersatz bei ausgeglichenem Säure-Basen-Haushalt
+ kurzfristiger intravasaler Volumenersatz
+ isotone und hypotone Dehydratation

Dosierung
+ Erwachsene: Maximale Tagesdosis: 40 ml/kg KG/ Tag   (5 ml/ kg KG/ Stunde)
+ Jugendliche: Maximale Tagesdosis: 40 ml/kg KG/ Tag   (5 ml/ kg KG/ Stunde)
+ Kinder: Maximale Tagesdosis: 20-40 ml/kg KG/ Tag   (2-4 ml/ kg KG/ Stunde)
+ Kleinkinder: Maximale Tagesdosis: 40 ml/kg KG/ Tag   (4-6 ml/ kg KG/ Stunde)
+ Neugeborene: Maximale Tagesdosis: 40 ml/kg KG/ Tag (6-8 ml/ kg KG/ Stunde)

Kontraindikationen
+ Überwässerung
+ Hyperkaliämie (Niereninsuffizienz!)

Besondere Hinweise
+ Ausflockungen möglich
+ bei Temperaturen < 25° C 5 Jahre Haltbarkeit
+ maximale Lagerungszeit angebrochener Lösungen: 24 h bei 2-8 ° C

Der Herausgeber

Prof. Dr. Helge Hohage (Jg. 1958) studierte Pharmazie und Medizin an der Universität Bonn.

Die Weiterbildung zum Facharzt für Innere Medizin und Nephrologie sowie Facharzt für Klinische Pharmakologie absolvierte Prof. Hohage am Kreiskrankenhaus Lüdenscheid, der Universität Münster und der RWTH Aachen.

Prof. Hohage war lange als Oberarzt für die Intensivstation sowie die Notaufnahme des Universitätsklinikums Münster und als Notarzt tätig. Im Jahr 2003 wurde ihm die Bezeichnung apl.-Professor verliehen.

Von 2003 bis 2013 war Prof. Hohage als niedergelassener Nephrologe sowie Belegarzt am Bonifatius-Krankenhaus in Lingen tätig.

2014 wechselte er als Hochschullehrer an die Mathias Hochschule in Rheine und entwickelte dort den Studiengang Physician Assistant maßgeblich weiter.

Seit November 2015 ist Prof. Hohage wieder als Nephrologe tätig. Lehrtätigkeiten bestehen an der Universität Münster für Studierende der Medizin sowie an der Rettungsdienstschule des Kreises Steinfurt.

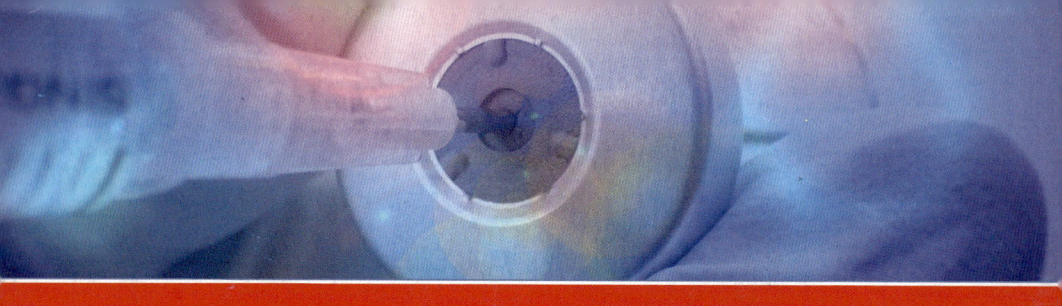

PHARMAKOLOGIE FÜR NOTFALLSANITÄTER

Alle wichtigen und für den Notfallsanitäter relevanten Aspekte der Pharmakologie sind in diesem Lehrbuch verständlich und umfassend zusammengefasst. Das Lehrbuch dient sowohl der Vorbereitung auf die Ergänzungsprüfung als auch auf die staatliche Prüfung für Notfallsanitäter. Auch andere rettungsdienstliche Qualifikationsstufen werden durch das vorliegende Werk angesprochen und auf ihrem Leistungsstand abgeholt.

Aus dem Inhalt:

- Juristische Grundlagen
- Pharmakologische Grundlagen
- Detaillierte Beschreibung der Medikamente aus dem Pyramidenprozess
- über 100 farbige Abbildungen und zahlreiche Tabellen

Neben einführenden Kapiteln mit juristischen sowie pharmakologischen Grundlagen haben wir darauf Wert gelegt, in verständlichen Worten auch komplexe Zusammenhänge darzustellen und aufzunehmen.

Die Verantwortung für Ihren Patienten ist ein hohes Gut – Sie sollten daher einen fundierten Überblick über die Pharmakologie haben und das Lehrbuch auch nach bestandener Prüfung immer wieder zur Hand nehmen.

Die in jedem Kapitel integrierten „Checklisten" helfen Ihnen dabei, Ihr Wissen aufzufrischen.

ISBN 978-3-00-055933-4

9 783000 559334

www.luhri.de